Hommage et remerciements à Max et les Maximonstres Maurice Sendak · E.T. Steven Spielberg · Snoopy
et Woodstock Charles Schulz · Schtroumpf Peyo · Harry Potter J. K. Rowling · Professeur Tournesol
Tintin et Milou Hergé · Mimi Cracra Agnès Rosenstiehl · Les Simpsons Matt Groening · Téléchat Roland
Topor · Batman et Robin Bob Kane et Bill Finger · Superman Jerry Siegel et Joe Shuster · Fantômette
Georges Chaulet · Super Mario Shigeru Miyamoto, Nintendo · Félix le chat Pat Sullivan · Crocodile, Zuza
Anaïs Vaugelade · Guignol Tradition populaire et Laurent Mourguet · Mister Natural Robert Crumb · King
Kong Willis O'Brien · Les tuniques bleues Raoul Cauvin · Jeannot Lapin Beatrix Potter · Zorro Johnston
McCulley · Adèle Blanc-Sec Jacques Tardi · Mickey, Dumbo... Walt Disney · Mary Poppins Pamela L.
Travers, Mary Shepard et Walt Disney · Cuisine de nuit Maurice Sendak · Rantanplan, les Daltons René
Morris et René Goscinny · Boule et Bill, La ribambelle Jean Roba · Philémon Fred · Bécassine Maurice
Languereau et Joseph Pinchon · Sylvain et Sylvette M. Cuvillier · Iznogoud René Goscinny et Jean Tabary
· Corinne et Jeannot Jean Tabary · Marsupilami, Spip, Gaston Lagaffe André Franquin · Yoko Tsuno Roger
Leloup · Lili l'espiègle Jo Valle et André Vallet · Bugs Bunny, Droopy... Tex Avery · Titi et Grosminet Fritz
Freleng et Bob Clampett · Charles Chaplin, Buster Keaton eux-mêmes · Alice et le lapin Lewis Caroll et John
Tenniel · Dragon Ball Akira Toriyama · Casimir Christophe Izard et Yves Brunier · Frankenstein Mary
Shelley · Boucle d'or Tradition populaire · Pif et Hercule José Cabrero Arnal · Les pieds nickelés Louis
Forton · Polichinelle Tradition populaire · Gros dégueulasse Reiser · Astérix et Obélix Albert Uderzo et
René Goscinny · Le prince de Motordu Pef · Monsieur Hulot Jacques Tati · Little Nemo Winsor McCay ·
Aggie Hal Rasmusson · Gédéon Benjamin Rabier · L'exorciste William Friedkin · Dracula Bram Stoker ·
Gizmo, Gremlins Joe Dante · Clochette, Peter Pan Sir James Matthew Barrie · Le magicien d'Oz Lyman
Frank Baum · Tarzan, Jane, Boy et Cheetah Edgar Rice Burroughs et W. S. Van Dyke · Le Concombre
masqué Nikita Mandryka · Le Sapeur Camember Christophe · Où est Charlie? Martin Handford · Le petit
Poucet Charles Perrault · Riri, Fifi et Loulou Carl Barks et Walt Disney · Mon petit lapin est amoureux
Mathieu Grégoire Solotareff · L'ami du petit tyrannosaure Anaïs Vaugelade et Florence Seyvos · Popeye
Elzie Crisler Segar · Betty Boop Max Fleischer · Hulul Arnold Lobel · Le roi et l'oiseau Jacques Prévert et
Paul Grimault · Tom et Jerry William Hanna et Joseph Barbera · La plus mignonne des petites souris
Tradition populaire et Etienne Morel pour le Père Castor · Le petit Nicolas Sempé et René Goscinny · M.
Vieux Bois Rodolphe Töpffer · Les derniers géants François Place · Au revoir Blaireau Susan Varley · La
famille souris Kazuo Iwamura · Le chat de Fat Freddy Gilbert Shelton et Dave Sheridan · Les métamor-
phoses du jour Grandville · Coccobill Jacovitti · La petite taupe Werner Holzwarth et Wolf Erlbruch · Der
Struwwelpeter Heinrich Hoffmann · L'ogre, le loup, la petite fille et le gâteau Philippe Corentin · Le génie
des alpages F'murr · Trottinette Calvo · Buster Brown R. F. Outcault · La fessée de Mariette et Soupir
Irène Schwartz et Frédéric Stehr · La grosse bête de monsieur Racine Tomi Ungerer · Coccinelle... Gotlib
· L'horrible petite princesse Nadja · Denver World Events - IDDH · Razmokets Nickelodeon · Petit ours
brun Danièle Bour · Wallace et Gromit Nick Park · Calimero Nino Pagot, Toni Pagot et Ignazio Colnaghi ·
Jack et le haricot magique, Babayaga, Roulegalette Tradition populaire · La panthère rose Friz Freleng et
David DePatie · Deepo, l'Incal Moebius · Les musiciens de Brême Frères Grimm · Biboundé Michel Gay ·
Riquiqui Pierre Coré et Clément Oubrerie · Max et Moritz Wilhelm Busch · Casper Joe Oriolo et Seymour
V. Reit · Teletubbies BBC - Ragdoll Ltd, Anna Wood et Andy Davenport · Le petit chaperon rouge Kimiko ·
Victor Hugo s'est égaré Philippe Dumas · Peau d'âne Charles Perrault · Yoda, La guerre des étoiles George
Lucas · Pinocchio Carlo Collodi · Mafalda Quino · Tartine Collectif · Les bébés Nicole Claveloux · La
Famille Addams Chas Addams et David Levy · Poucette Hans Christian Andersen · John Chatterton détective
Yvan Pommaux · Kirikou Michel Ocelot · La souris verte Tradition populaire · Les tortues Ninja Kevin
Eastman et Peter Laird · Achille Talon Greg · Yakari Derib et Job · Le Chat Philippe Geluck · La planète
des Lapins Rosemary Wells · Bicot Martin Branner · Maus Art Spiegelman · Babar Jean de Brunhoff

ommage et remerciements à Max et les Maximonstres Maurice Sendak • E.T. Steven Spielberg • Snoopy
• Woodstock Charles Schulz • Schtroumpf Peyo • Harry Potter J. K. Rowling • Professeur Tournesol,
intin et Milou Hergé • Mimi Cracra Agnès Rosenstiehl • Les Simpsons Matt Groening • Téléchat Roland
opor • Batman et Robin Bob Kane et Bill Finger • Superman Jerry Siegel et Joe Shuster • Fantômette
eorges Chaulet • Super Mario Shigeru Miyamoto, Nintendo • Félix le chat Pat Sullivan • Crocodile, Zuza
naïs Vaugelade • Guignol Tradition populaire et Laurent Mourguet • Mister Natural Robert Crumb • King
ong Willis O'Brien • Les tuniques bleues Raoul Cauvin • Jeannot Lapin Beatrix Potter • Zorro Johnston
cCulley • Adèle Blanc-Sec Jacques Tardi • Mickey, Dumbo… Walt Disney • Mary Poppins Pamela L.
ravers, Mary Shepard et Walt Disney • Cuisine de nuit Maurice Sendak • Rantanplan, les Daltons René
orris et René Goscinny • Boule et Bill, La ribambelle Jean Roba • Philémon Fred • Bécassine Maurice
anguereau et Joseph Pinchon • Sylvain et Sylvette M. Cuvillier • Iznogoud René Goscinny et Jean Tabary
Corinne et Jeannot Jean Tabary • Marsupilami, Spip, Gaston Lagaffe André Franquin • Yoko Tsuno Roger
eloup • Lili l'espiègle Jo Valle et André Vallet • Bugs Bunny, Droopy… Tex Avery • Titi et Grosminet Friz
releng et Bob Clampett • Charles Chaplin, Buster Keaton eux-mêmes • Alice et le lapin Lewis Caroll et John
enniel • Dragon Ball Akira Toriyama • Casimir Christophe Izard et Yves Brunier • Frankenstein Mary
helley • Boucle d'or Tradition populaire • Pif et Hercule José Cabrero Arnal • Les pieds nickelés Louis
orton • Polichinelle Tradition populaire • Gros dégueulasse Reiser • Astérix et Obélix Albert Uderzo et
ené Goscinny • Le prince de Motordu Pef • Monsieur Hulot Jacques Tati • Little Nemo Winsor McCay •
ggie Hal Rasmusson • Gédéon Benjamin Rabier • L'exorciste William Friedkin • Dracula Bram Stoker •
izmo, Gremlins Joe Dante • Clochette, Peter Pan Sir James Matthew Barrie • Le magicien d'Oz Lyman
rank Baum • Tarzan, Jane, Boy et Cheetah Edgar Rice Burroughs et W. S. Van Dyke • Le Concombre
asqué Nikita Mandryka • Le Sapeur Camember Christophe • Où est Charlie? Martin Handford • Le petit
oucet Charles Perrault • Riri, Fifi et Loulou Carl Barks et Walt Disney • Mon petit lapin est amoureux,
athieu Grégoire Solotareff • L'ami du petit tyrannosaure Anaïs Vaugelade et Florence Seyvos • Popeye
lzie Crisler Segar • Betty Boop Max Fleischer • Hulul Arnold Lobel • Le roi et l'oiseau Jacques Prévert et
aul Grimault • Tom et Jerry William Hanna et Joseph Barbera • La plus mignonne des petites souris
radition populaire et Etienne Morel pour le Père Castor • Le petit Nicolas Sempé et René Goscinny • M.
ieux Bois Rodolphe Töpffer • Les derniers géants François Place • Au revoir Blaireau Susan Varley • La
amille souris Kazuo   ridan • Les métamor-
hoses du jour Grand   t Wolf Erlbruch • Der
truwwelpeter Heinri   e Corentin • Le génie
es alpages F'murr •   de Mariette et Soupir
rène Schwartz et F   r • Coccinelle… Gotlib

L'horrible petite p   ckelodeon • Petit ours
run Danièle Bour •   et Ignazio Colnaghi •
ack et le haricot   e rose Friz Freleng et
avid DePatie • De   Biboundé Michel Gay •
iquiqui Pierre Coré   oe Oriolo et Seymour
. Reit • Teletubbie   aperon rouge Kimiko
ictor Hugo s'est égaré Philippe Dumas • Peau d'âne Charles Perrault • Yoda, La guerre des étoiles Georges
ucas • Pinocchio Carlo Collodi • Mafalda Quino • Tartine Collectif • Les bébés Nicole Claveloux •
amille Addams Chas Addams et David Levy • Poucette Hans Christian Andersen • John Chatterton détective
van Pommaux • Kirikou Michel Ocelot • La souris verte Tradition populaire • Les tortues Ninja Kevin
astman et Peter Laird • Achille Talon Greg • Yakari Derib et Job • Le Chat Philippe Geluck • La planète
es Lapins Rosemary Wells • Bicot Martin Branner • Maus Art Spiegelman • Babar Jean de Brunhoff

Longtemps je me suis couché de bonheur, avec mes livres et ma lampe de poche. Dès que j'allumais ma lampe, les personnages sortaient d'entre les pages. En foule. Avec les voisins, les chevaux, les oiseaux, les martiens ambidextres, les héros peureux, les maléfiques, les surpuissants, les traîtres, les anodins, les ensorcelés, les injustement condamnés, les invisibles, les souterrains, les faces d'ange, les princesses à délivrer. Personne ne saura jamais combien nous étions sous la couverture.

Ce livre est un hommage à tous ces personnages et à leurs créateurs, qui ont inventé le monde des livres pour enfants, et qui continuent, jour après jour, à nourrir de nouveaux livres. Qu'ils en soient, ici, remerciés du fond du cœur et de mon lit par moi et ma lampe de poche, pour l'éternité des jours et des nuits de lecture que je leur dois.   C. P.

À mes parents
C. P.

Merci à toutes les personnes qui m'ont aidé à faire ce livre.

ISBN 978-2-211-09316-3
Première édition dans la collection *lutin poche* : octobre 2008
© 2004, l'école des loisirs, Paris
Loi numéro 49 956 du 16 juillet 1949 sur les publications
destinées à la jeunesse : mars 2005
Dépôt légal : octobre 2010
Imprimé en France par Mame à Tours

Claude Ponti

lutin poche de l'école des loisirs
11, rue de Sèvres, Paris 6e

Ce matin, il est dring heure twouït twouït. Blaise, le poussin masqué, réveille tous les autres poussins. Ils ont dix jours pour préparer la fête d'Anne Hiversère. Pas un jour, pas une minute de plus.

Et aujourd'hui, justement, c'est le premier jour. Après, il n'y aura plus que neuf jours. Chaque matin, les poussins se lèvent de la même façon: ils sautent le plus loin possible de leur lit.

Anne Hiversère est la meilleure amie des poussins et chaque poussin est aussi son meilleur ami.
Pour sa fête, ils vont lui construire le plus incroyabilicieux des châteaux. Et ce sera une surprise.

L'après-midi du premier jour, les poussins écrivent à tous les autres meilleurs amis d'Anne Hiversère. Les autres meilleurs amis d'Anne Hiversère habitent un peu partout, parfois très loin, heureusement, les Boîtalettres connaissent toutes les adresses. Blaise a préparé un modèle d'invitation :

« *Venez tous chez nous dimanche. On fait une grande surprise pour la fête d'Anne Hiversère. Il y aura un super irrésistibilicieux château. Signé: les poussins.* » Mais chacun écrit ce qu'il veut et pendant que Kinonne copie sur Hipsonne, Pic et Asso s'occupent des timbres.

Le matin du deuxième jour, les poussins vont chercher des œufs chez Olga Ponlemonde.
Blaise a expliqué aux autres poussins comment choisir les bons œufs.
Il ne faut prendre que des œufs à château. Surtout pas des œufs à poussin.

Encore moins des œufs à bonhomme de neige, à voiture, à vache, ou à eggcétéra.
Sinon à quoi ressemblerait le château d'Anne Hiversère ? À rien.
À rien qu'on aurait envie de manger en tout cas.

L'après-midi du deuxième jour, les poussins vont au pays des Grobinets. Ils essayent l'eau, la sieste, le plongeon plongé, le plongeon plané, le plongeon coulé, la nage flottante, et différentes choses que font les Grobinets dans leur pays.

Ensuite, ils rentreront chez eux avec les meilleurs Grobinets. Comme ça, ils auront la meilleure eau pour préparer la meilleure pâte du meilleur incroyabilicieux meilleur château. Le poussin qui a la tête dans un champignon rentrera, lui aussi, car il retrouve toujours son chemin.

Au matin du troisième jour, les poussins vont chercher du lait au bord du Lac Tésibon.
Une fois qu'ils ont trouvé la Grande Vache Immense, ils la traient. Avec le lait, les poussins prépareror
les crèmes parfumées qui donneront son goût d'amande tendre et rose au château.

Couché dans l'herbe verte, Blaise lit un livre sur Blaise pour voir si tout ce qu'on raconte sur lui est vrai
et si, par hasard, il y a dedans la recette des pommes d'amour qui feraient très joli sur les tables.
Au-dessus du lac, Hyppolitdesset, qui n'a peur de rien, tente un vol libre sur Bribron à moitié plein.

L'après-midi du troisième jour, les poussins descendent dans la mine de chocolat. Au fond de la mine, tout est en chocolat, le sol, les parois, les plafonds. Les poussins emportent autant de chocolat qu'ils le peuvent. Parce qu'il est impossible d'imaginer le château d'Anne Hiversère sans chocolat,

ce serait comme un gâteau au chocolat sans chocolat, ou une glace au chocolat sans chocolat, ou un chocolat chaud sans chocolat. D'ailleurs, du chocolat sans chocolat, ça n'existe pas. Pendant ce temps, Belle Djamine Frankline est en train d'inventer le parapluie. Il lui servira page 27.

Le matin du quatrième jour est le matin de la farine. Une bonne farine à château doit être très fine. Comme de la poussière de poussière. Et avant de la mettre en sac, il faut l'éclapatouiller.

La seule vraie façon de l'éclapatouiller, c'est de se laisser glisser et de s'éclater dans les collines de farine. Blaise et les poussins font très correctement ce qu'il faut.

L'après-midi du quatrième jour est l'après-midi du sucre. Les poussins font des kilomètres et des kilomètres sur des passerelles de bois pour aller chercher le sucre des cimes. Et un peu de sucre de mer. Avec le sucre de mer, les poussins feront des meringues.

Avec le sucre des cimes, ils sculpteront les décorations du château car le sucre des cimes est facile à sculpter. Bien qu'il regarde partout, Blaise ne voit pas Boufniouse en train de lire son journal. C'est normal. Exceptionnellement, et seulement cet après-midi, elle fait comme les autres, elle porte du sucre.

Le matin du cinquième jour, les poussins cueillent des fruits. Tous les bons fruits délicieux pleins de couleurs et de jus sucré qu'ils trouvent.
Les fruits sont les derniers ingrédients dont ils ont besoin.

Tournenboule s'est trompé de sens. Slipododo, lui, dort comme tous les jours,
Boufniouse a retrouvé son journal et Tivolio Bénégoudgoud fait des grimaces.
Dès que les poussins auront terminé le ramassage des fruits, ils commenceront la Tatouille.

La Tatouille, c'est l'après-midi du cinquième jour.
Les poussins font très attention. Si la Tatouille est ratée, tout le château d'Anne Hiversère sera raté.
Les ingrédients doivent être mixés, battus et splatchoulés

dans le bon ordre. Par exemple, il faut splitouiller la pâte avec les pattes avant de la rataplatisser au rouleau jusqu'au bord. Il faut aussi vérifier les œufs battus en neige avant de les mélanger au sucre, goûter à chaque fois les crèmes avant de les tartislouper. En plus, il faut parfaitement bien se salir.

Le sixième jour, les poussins construisent des fours, pour cuire la pâte à château.
Le soir ils vont se coucher, et, pendant qu'ils dorment,

Blaise surveille la cuisson. Toute la nuit. Le septième jour, Blaise et les poussins ne font rien. Ils se reposent. Tellement calmement qu'on ne les voit pas.

Le matin du huitième jour, Blaise, le poussin masqué, réveille tous les autres poussins.
Il est dring heure twouït twouït,
et il ne reste que deux jours pour terminer le château d'Anne Hiversère.

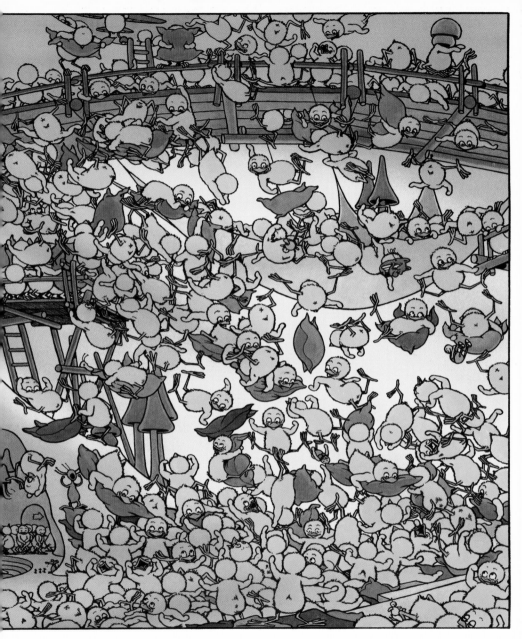

Pas un jour, ni une minute de plus. Après ce sera la fête. Les invités seront là et tout devra être prêt.
Rien ne devra manquer. Mais, avec les poussins, pas de souci, tout ce qu'ils font, ils le font bien.

L'après-midi du huitième jour, Blaise dirige les équipes de finition du château d'Anne Hiversère.
Toutes les couches de biscuit, de crème, de chocolat, de croquant, de biscuit, de chocolat, de biscuit,
de mousse à la framboise, de chocolat, et de biscuit sont bien en place, les unes sur les autres.

Après avoir empatissé les salons et creusé la grande entrée Chantilly, les poussins posent les décorations intérieures et extérieures dedans et dehors. Sauf Cirkdépékinne, debout en équilibre sur une perche. Elle s'entraîne pour faire son numéro à la surprise d'Anne Hiversère.

Au matin du neuvième jour, le château d'Anne Hiversère est terminé. Il ne manque pas une meringue.
Les tours sont gaufrées bien rond et kouggueloffées moelleux.
À part Métantan-Skontdi et Métébouché qui discutent de quelque chose d'important,

Blaise et tous les autres poussins sont encore dans leur maison.
Ils regardent le château d'Anne Hiversère par la fenêtre de derrière. C'est le grand moment de silence
et d'admiration avant la visite de vérification.

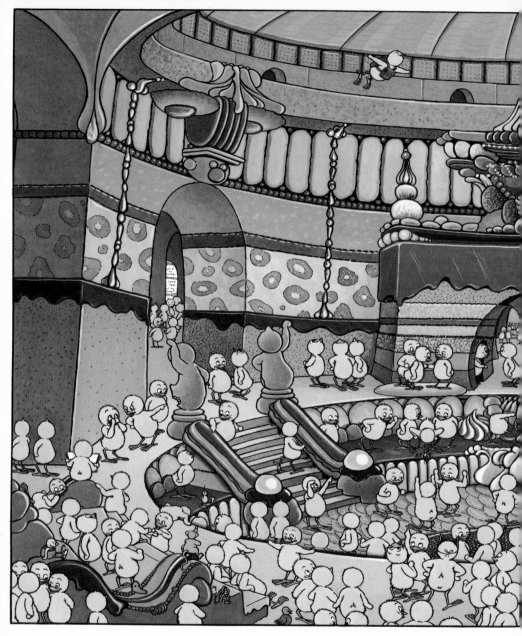

Toute la journée du neuvième jour, après la vérification, les poussins admirent leur chef-d'œuvre.
Ils sont particulièrement fiers de la grande salle des fêtes ronde, avec ses lisse-miroirs,
ses éclairs et son parquet multitarte.

Tout autour, il y a six moyens salons carrés, douze petits salons ronds ou carrés, trente couloirs
en sorbets fruits rouges et mangue passion, soixante escaliers en nougat mou, soixante toboggans
de caramel roux, deux mille trois cent vingt-sept coussins de mousse à la vanille et autant à l'abricot.

Le dixième jour, tous les invités arrivent. À 1h 25mn 67s de l'après-midi. C'est l'heure exacte de la naissance d'Anne Hiversère.

Anne a mis sa robe d'or grandi, ses grands cheveux noirs
ondulés, son collier de grenats et son sourire de fête.
Elle est très heureuse.
Elle a autant de cadeaux que d'amis.

C'est la fête. Dans le château d'Anne Hiversère, tout le monde mange le château d'Anne Hiversère. Et Anne Hiversère aussi, bien sûr.

Il y a tellement à manger, c'est tellement irrésistibilicieusement incroyabilicieux
et la fête dure si longtemps que personne ne sait combien ça fait de jours.

Ce qui est sûr, c'est que le lendemain, quand la dernière miette du dernier morceau de château a été mangée, les invités retournent chez eux.

Et partout où ils iront, partout où ils mangeront des châteaux, ils diront que le château d'Anne Hiversère était vraiment le meilleur de tous les châteaux du monde. Parce que c'est vrai.

Après, à la fin du lendemain, c'est le soir. Et comme tous les soirs, à chaque fois,
les poussins se couchent dans la même position et dorment au même endroit. Tous, sauf un.

Hommage et remerciements à Max et les Maximonstres Maurice Sendak · E.T. Steven Spielberg · Snoo
et Woodstock Charles Schulz · Schtroumpf Peyo · Harry Potter J. K. Rowling · Professeur Tournes
Tintin et Milou Hergé · Mimi Cracra Agnès Rosenstiehl · Les Simpsons Matt Groening · Téléchat Rolo
Topor · Batman et Robin Bob Kane et Bill Finger · Superman Jerry Siegel et Joe Shuster · Fantôme
Georges Chaulet · Super Mario Shigeru Miyamoto, Nintendo · Félix le chat Pat Sullivan · Crocodile, Zu
Anaïs Vaugelade · Guignol Tradition populaire et Laurent Mourguet · Mister Natural Robert Crumb · K
Kong Willis O'Brien · Les tuniques bleues Raoul Cauvin · Jeannot Lapin Beatrix Potter · Zorro Johnst
McCulley · Adèle Blanc-Sec Jacques Tardi · Mickey, Dumbo... Walt Disney · Mary Poppins Pamela
Travers, Mary Shepard et Walt Disney · Cuisine de nuit Maurice Sendak · Rantanplan, les Daltons Re
Morris et René Goscinny · Boule et Bill, La ribambelle Jean Roba · Philémon Fred · Bécassine Maur
Languereau et Joseph Pinchon · Sylvain et Sylvette M. Cuvillier · Iznogoud René Goscinny et Jean Taba
· Corinne et Jeannot Jean Tabary · Marsupilami, Spip, Gaston Lagaffe André Franquin · Yoko Tsuno Rog
Leloup · Lili l'espiègle Jo Valle et André Vallet · Bugs Bunny, Droopy... Tex Avery · Titi et Grosminet Fr
Freleng et Bob Clampett · Charles Chaplin, Buster Keaton eux-mêmes · Alice et le lapin Lewis Caroll et Jo
Tenniel · Dragon Ball Akira Toriyama · Casimir Christophe Izard et Yves Brunier · Frankenstein Ma
Shelley · Boucle d'or Tradition populaire · Pif et Hercule José Cabrero Arnal · Les pieds nickelés Lou
Forton · Polichinelle Tradition populaire · Gros dégueulasse Reiser · Astérix et Obélix Albert Uderzo
René Goscinny · Le prince de Motordu Pef · Monsieur Hulot Jacques Tati · Little Nemo Winsor McCay
Aggie Hal Rasmusson · Gédéon Benjamin Rabier · L'exorciste William Friedkin · Dracula Bram Stoker
Gizmo, Gremlins Joe Dante · Clochette, Peter Pan Sir James Matthew Barrie · Le magicien d'Oz Lym
Frank Baum · Tarzan, Jane, Boy et Cheetah Edgar Rice Burroughs et W. S. Van Dyke · Le Concomb
masqué Nikita Mandryka · Le Sapeur Camember Christophe · Où est Charlie? Martin Handford · Le pe
Poucet Charles Perrault · Riri, Fifi et Loulou Carl Barks et Walt Disney · Mon petit lapin est amoureu
Mathieu Grégoire Solotareff · L'ami du petit tyrannosaure Anaïs Vaugelade et Florence Seyvos · Pope
Elzie Crisler Segar · Betty Boop Max Fleischer · Hulul Arnold Lobel · Le roi et l'oiseau Jacques Prévert
Paul Grimault · Tom et Jerry William Hanna et Joseph Barbera · La plus mignonne des petites sour
Tradition populaire et Etienne Morel pour le Père Castor · Le petit Nicolas Sempé et René Goscinny · M
Vieux Bois Rodolphe Töpffer · Les derniers géants François Place · Au revoir Blaireau Susan Varley · N
famille souris Kazuo Iwamura · Le chat de Fat Freddy Gilbert Shelton et Dave Sheridan · Les métamor
phoses du jour Grandville · Coccibill Jacovitti · La petite taupe Werner Holzwarth et Wolf Erlbruch · D
Struwwelpeter Heinrich Hoffmann · L'ogre, le loup, la petite fille et le gâteau Philippe Corentin · Le gén
des alpages F'murr · Trottinette Calvo · Buster Brown R. F. Outcault · La fessée de Mariette et Soup
Irène Schwartz et Frédéric Stehr · La grosse bête de monsieur Racine Tomi Ungerer · Coccinelle... Gotl
· L'horrible petite princesse Nadja · Denver World Events - IDDH · Razmokets Nickelodeon · Petit ou
brun Danièle Bour · Wallace et Gromit Nick Park · Calimero Nino Pagot, Toni Pagot et Ignazio Colnaghi
Jack et le haricot magique, Babayaga, Roulegalette Tradition populaire · La panthère rose Friz Freleng
David DePatie · Deepo, l'Incal Moebius · Les musiciens de Brême Frères Grimm · Biboundé Michel Gay
Riquiqui Pierre Coré et Clément Oubrerie · Max et Moritz Wilhelm Busch · Casper Joe Oriolo et Seymou
V. Reit · Teletubbies BBC - Ragdoll Ltd, Anna Wood et Andy Davenport · Le petit chaperon rouge Kimiko
Victor Hugo s'est égaré Philippe Dumas · Peau d'âne Charles Perrault · Yoda, La guerre des étoiles George
Lucas · Pinocchio Carlo Collodi · Mafalda Quino · Tartine Collectif · Les bébés Nicole Claveloux ·
Famille Addams Chas Addams et David Levy · Poucette Hans Christian Andersen · John Chatterton détecti
Yvan Pommaux · Kirikou Michel Ocelot · La souris verte Tradition populaire · Les tortues Ninja Kev
Eastman et Peter Laird · Achille Talon Greg · Yakari Derib et Job · Le Chat Philippe Geluck · La planè
des Lapins Rosemary Wells · Bicot Martin Branner · Maus Art Spiegelman · Babar Jean de Brunhof

mage et remerciements à Max et les Maximonstres **Maurice Sendak** • E.T. **Steven Spielberg** • Snoopy
Woodstock **Charles Schulz** • Schtroumpf **Peyo** • Harry Potter **J. K. Rowling** • Professeur Tournesol,
rin et Milou **Hergé** • Mimi Cracra **Agnès Rosenstiehl** • Les Simpsons **Matt Groening** • Téléchat **Roland**
or • Batman et Robin **Bob Kane et Bill Finger** • Superman **Jerry Siegel et Joe Shuster** • Fantômette
rges Chaulet • Super Mario **Shigeru Miyamoto, Nintendo** • Félix le chat **Pat Sullivan** • Crocodile, Zuza
ïs Vaugelade • Guignol **Tradition populaire et Laurent Mourguet** • Mister Natural **Robert Crumb** • King
g **Willis O'Brien** • Les tuniques bleues **Raoul Cauvin** • Jeannot Lapin **Beatrix Potter** • Zorro **Johnston**
Culley • Adèle Blanc-Sec **Jacques Tardi** • Mickey, Dumbo… **Walt Disney** • Mary Poppins **Pamela L.**
vers, Mary Shepard et Walt Disney • Cuisine de nuit **Maurice Sendak** • Rantanplan, les Daltons **René**
ris et René Goscinny • Boule et Bill, La ribambelle **Jean Roba** • Philémon **Fred** • Bécassine **Maurice**
guereau et Joseph Pinchon • Sylvain et Sylvette **M. Cuvillier** • Iznogoud **René Goscinny et Jean Tabary**
orinne et Jeannot **Jean Tabary** • Marsupilami, Spip, Gaston Lagaffe **André Franquin** • Yoko Tsuno **Roger**
up • Lili l'espiègle **Jo Valle et André Vallet** • Bugs Bunny, Droopy… **Tex Avery** • Titi et Grosminet **Friz**
leng et Bob Clampett • Charles Chaplin, Buster Keaton **eux-mêmes** • Alice et le lapin **Lewis Caroll et John**
niel • Dragon Ball **Akira Toriyama** • Casimir **Christophe Izard et Yves Brunier** • Frankenstein **Mary**
lley • Boucle d'or **Tradition populaire** • Pif et Hercule **José Cabrero Arnal** • Les pieds nickelés **Louis**
ton • Polichinelle **Tradition populaire** • Gros dégueulasse **Reiser** • Astérix et Obélix **Albert Uderzo et**
é Goscinny • Le prince de Motordu **Pef** • Monsieur Hulot **Jacques Tati** • Little Nemo **Winsor McCay** •
ie **Hal Rasmusson** • Gédéon **Benjamin Rabier** • L'exorciste **William Friedkin** • Dracula **Bram Stoker** •
mo, Gremlins **Joe Dante** • Clochette, Peter Pan **Sir James Matthew Barrie** • Le magicien d'Oz **Lyman**
nk Baum • Tarzan, Jane, Boy et Cheetah **Edgar Rice Burroughs et W. S. Van Dyke** • Le Concombre
squé **Nikita Mandryka** • Le Sapeur Camember **Christophe** • Où est Charlie? **Martin Handford** • Le petit
cet **Charles Perrault** • Riri, Fifi et Loulou **Carl Barks et Walt Disney** • Mon petit lapin est amoureux,
hieu **Grégoire Solotareff** • L'ami du petit tyrannosaure **Anaïs Vaugelade et Florence Seyvos** • Popeye
e Crisler Segar • Betty Boop **Max Fleischer** • Hulul **Arnold Lobel** • Le roi et l'oiseau **Jacques Prévert et**
l Grimault • Tom et Jerry **William Hanna et Joseph Barbera** • La plus mignonne des petites souris
dition populaire et Etienne Morel pour le Père Castor • Le petit Nicolas **Sempé et René Goscinny** • M.
ux Bois **Rodolphe Töpffer** • Les derniers géants **François Place** • Au revoir Blaireau **Susan Varley** • La
ille souris **Kazuo Iwamura** • Le chat de Fat Freddy **Gilbert Shelton et Dave Sheridan** • Les métamor-
ses du jour **Grandville** • Coccobill **Jacovitti** • La petite taupe **Werner Holzwarth et Wolf Erlbruch** • Der
uwwelpeter **Heinrich Hoffmann** • L'ogre, le loup, la petite fille et le gâteau **Philippe Corentin** • Le génie
alpages **F'murr** • Trottinette **Calvo** • Buster Brown **R. F. Outcault** • La fessée de Mariette et Soupir
ne Schwartz et Frédéric Stehr • La grosse bête de monsieur Racine **Tomi Ungerer** • Coccinelle… **Gotlib**
'horrible petite princesse **Nadja** • Denver **World Events - IDDH** • Razmokets **Nickelodeon** • Petit ours
n **Danièle Bour** • Wallace et Gromit **Nick Park** • Calimero **Nino Pagot, Toni Pagot et Ignazio Colnaghi**
k et le haricot magique, Babayaga, Roulegalette **Tradition populaire** • La panthère rose **Friz Freleng et**
id DePatie • Deepo, l'Incal **Moebius** • Les musiciens de Brême **Frères Grimm** • Biboundé **Michel Gay** •
iqui **Pierre Coré et Clément Oubrerie** • Max et Moritz **Wilhelm Busch** • Casper **Joe Oriolo et Seymour**
Reit • Teletubbies **BBC - Ragdoll Ltd, Anna Wood et Andy Davenport** • Le petit chaperon rouge **Kimiko**
tor Hugo s'est égaré **Philippe Dumas** • Peau d'âne **Charles Perrault** • Yoda, La guerre des étoiles **Georges**
as • Pinocchio **Carlo Collodi** • Mafalda **Quino** • Tartine **Collectif** • Les bébés **Nicole Claveloux** • La
ille Addams **Chas Addams et David Levy** • Poucette **Hans Christian Andersen** • John Chatterton détective
n Pommaux • Kirikou **Michel Ocelot** • La souris verte **Tradition populaire** • Les tortues Ninja **Kevin**
tman et Peter Laird • Achille Talon **Greg** • Yakari **Derib et Job** • Le Chat **Philippe Geluck** • La planète
Lapins **Rosemary Wells** • Bicot **Martin Branner** • Maus **Art Spiegelman** • Babar **Jean de Brunhoff**